AF567938

MARO.

CHARLES BUKOWSKI

Irgendwo in Texas

Deutsch von Carl Weissner

MaroVerlag

Titel der amerikanischen Originalausgabe:
BONE PALACE BALLET.
Black Sparrow Press, Santa Rosa 1997.
(Auswahl)

Umschlag: Rotraut Susanne Berner

Deutsche Erstausgabe

6. Auflage März 2015

Gesamtherstellung im Verlag
978-3-87512-249-6
Bibliografische Information der Deutschen Nationalbibliothek:
Die Deutsche Nationalbibliothek verzeichnet diese Publikation
in der Deutschen Nationalbibliografie; detaillierte bibliografische
Daten sind im Internet über http://dnb.d-nb.de abrufbar.

Für Dr. Ellis

SCHADE DRUM

Wir waren 14, Baldy
Norman und ich, es war
zehn Uhr nachts, wir
saßen im Park um die
Ecke und tranken geklautes
Bier.

Ein Auto fuhr an den
Straßenrand und hielt.
Die Fahrertür ging
auf, eine Lady beugte sich
raus und kotzte in den
Rinnstein. Sie ließ
einen ordentlichen Schwall
ab. Eine Weile saß sie
noch da, dann stieg sie aus
und ging in den Park.
Sie schwankte leicht.

»Die ist besoffen«, meinte
Norman. »Los, die
ficken wir!«

»Okay«, sagte ich.
»Okay«, sagte Baldy.

Mit unsicheren Schritten
kam sie auf uns zu.
Sie war ein bißchen
füllig, aber jung.
Draller Busen, gute
Beine. Stöckelschuhe.

»Der besorg ichs
gut«, sagte Baldy.

»*Ich* besorgs ihr«
sagte Norman.

Jetzt sah sie uns
auf der Bank.
»Oh...« Sie kam
näher, starrte
uns an.

»Ah, nur 'n paar
nette Jungs...«

Das paßte uns
gar nicht.

»Lust auf 'n
Schluck, Baby?«
fragte Norman.

»Nee, ich bin
bedient. Ich fühl
mich gräßlich. Hatte
Krach mit meinem
Freund...«

Sie stand da, im
Mondschein, und eierte
auf ihren hohen
Absätzen.

»Was hat der, was ich
nicht hab?« wollte
Norman wissen.

»Komm schon, Baby«
sagte Baldy. »Ich
kann dir was zeigen
da machst du Augen!«

»Das reicht jetzt.«
Sie machte kehrt und
ging weg.

Baldy sprang auf – er
war selbst schon halb
hinüber – und ging ihr
nach.

»Ich hab was für
dich, Baby!«

Sie fing an zu
laufen. Baldy rannte
hinter ihr her.

Als er nach ihr
hechtete, prallte er
an ihrem dicken Hintern
ab und landete im Gras.

Sie rannte zu ihrem
Wagen, warf den Motor
an und peste los.

Baldy kam zurück.
»Scheiße«, fluchte er.
»Diese Nutte!«

Er setzte sich wieder
zu uns auf die Bank
griff nach seiner
Bierdose und trank
einen tierischen
Schluck.

»Die hat es gewollt.
Und wie sie's gewollt
hat!«

»Du hast allerhand
Mumm«, sagte ich.

»Meint ihr, sie
kommt wieder?«
fragte Norman.

»Klar«, sagte Baldy.
»Sie will meinen
strammen Bengel.«

Ich glaube, keiner
von uns dachte, daß sie
wiederkommen würde, aber
wir blieben sitzen
tranken Bier und
warteten.

Wir hatten alle noch
keine Erfahrung, aber
wir fühlten uns sehr
stark, wie wir dahockten
Zigaretten pafften und
Bierdosen leerten.

Später würden wir
nach Hause gehen und
beim Onanieren an die
Frau im Park denken und
uns vorstellen, wie wir
diesen Whiskeymund küssen
und ihre Beine im Mondschein
in die Luft ragen, direkt
neben dem Springbrunnen
der seine Fontäne speit;
während im Zimmer nebenan
unsere Eltern in ihrem
Ehebett lagen und es längst
satt hatten.

BURNS

In der Highschool saßen wir
alphabetisch, und Burns war
immer hinter mir. Er war
der wuchtigste Kerl des ganzen
Jahrgangs, aber es war alles
nur Fett. Er war ein ekliger
verfetteter Knilch.

Ständig hatte ich ihn
im Nacken und hörte ihn
schnaufen; hörte, wie er
seine Fleischmassen
verlagerte.

Es war zum Kotzen.
Und was noch schlimmer
war – der dämliche Sack
hielt sich für clever,
hatte dauernd was auf
Lager, stupste mich z. B.
in den Rücken, steckte mir
einen Zettel zu und
zischelte: »Das ist von
Mary Lou. Sie hat gesagt
ich solls dir weiter-
geben...«

»Big Boy«, stand auf dem
Zettel, »ich bin ja soo
heiß auf dich! Ich kann
die Augen nicht von dir
lassen!«

Dann stupste er mich
schon wieder. »Hey, hey
die will dich!«

Ich ging nicht darauf ein.

»Hey, Hank, was hat der
Priester gesagt, als er die
Vogelscheiße in seinem
Popcorn gesehn hat?«

»He, Hank ...!«

Zu allem Überfluß
stank er auch noch.
Trug immer denselben
dicken grünen Pullover.
Sogar an den heißesten
Tagen.

Nach jeder Stunde versuchte er
gleichzeitig mit mir raus-
zukommen und lief mir
im Flur nach.

»Hank! He, warte
doch mal...«

Er war langsam, seine
großen Plattfüße steckten
in klobigen schwarzen
Tretern, die oft aneinander-
schlugen, so daß er
strauchelte.

Er war einsam, aber irgendwie
konnte ich kein Mitleid
mit ihm haben. Mir wurde
einfach schlecht von dem Kerl.

Seit zwei Jahren hatte ich
ihn schon im Nacken.

Eines Tages stupste er mich
wieder mal. »Hey, der da
ist von Caroline...«

Ich faltete den Zettel auseinander: »Henry, du bist der Yummy-Yummy-Typ meiner Träume!«

Ich drehte mich zu ihm um. Er trug eine dicke Hornbrille mit runden Gläsern; seine wulstigen roten Lippen verzogen sich zu einem blöden Grinsen.

»Jetzt paß mal auf, Burns« sagte ich. »Wenn du mich noch einmal anlangst oder was zu mir sagst oder mich auch nur ansiehst, dann mach ich dich alle. Das garantier ich dir.«

In diesem Augenblick sagte Mrs. Anderson, unsere Englischlehrerin, laut und vernehmlich: »Chinaski, Sie bleiben nach der Stunde da.«

Als alle draußen waren
schaute sie von ihrem
Pult hoch.

»Ich beobachte diesen Zirkus
schon das ganze Schuljahr.
Was haben Sie dazu
zu sagen?«

Ich gab keine Antwort.

»Chinaski, ich werde Ihnen
in Englisch eine Fünf geben.«

»Mir doch egal.«

»Sie können gehen.«

Danach ging ich nicht mehr
in ihren Unterricht. In den
anderen Fächern hatte ich Burns
weiter im Nacken, doch da er
mich nicht mehr stupste oder
anquatschte und ich ihn auch
nicht dabei ertappte, daß er
mich anstarrte, brauchte ich
ihn nicht umzubringen.
Ich mußte nur noch sein
Geschnaufe ertragen.

Das Dumme war jetzt, daß ich
Gewissensbisse bekam, als
hätte ich ihm fürchterlich
unrecht getan. Ich kam mir vor
als hätte ich ihn für immer
in ein finsteres einsames
Loch gesperrt.

Aber ich ließ ihn
wo er war.

Hinter mir. In meinem
Nacken.

Zwölfte Klasse.
Sommer '39.

ÜBUNG

Im Reserve Officers Training Corps
ging es jeden Samstag ins Gelände:
Die Blauen gegen die Roten, über
Stock und Stein, an den
heißesten Sommertagen.
Wir hatten Gewehre, aber ohne
Patronen, die Offiziere hatten
Säbel aus Holz; wir rannten los
warfen uns in den Dreck, gingen
hinter Büschen in Deckung, und
auf einem Hügel stand der
General, der am Ende entschied
wer gesiegt hatte.
Das Lernziel hieß: Wie bringen wir
einander um.
Aber komisch wars schon, wenn die
gegnerischen Parteien unverhofft
aufeinander trafen – was uns
auseinanderhielt, waren die Stoff-
lappen an den Gewehrläufen, aber
ich hatte meinen längst ab-
gemacht – alle stürzten sich
sofort auf den Feind, gerieten
in Rage, teilten Kolbenstöße
aus; die Offizieren fuchtelten
mit den Säbeln, und jede Seite
reklamierte den Sieg für sich;
es gab blutige Nasen, Dellen
am Schädel, einer brach sich den

Arm, und ich saß unter einem
schattigen Baum und sah zu.
Auf dem Hügel stand der General
und spähte durch sein staubiges
Fernglas; er war schon
senil und sabberte – aus jedem
Mundwinkel troff ein langer
Speichelfaden.

Los Angeles, Kalifornien.
Ein Samstag im Sommer
1938. Der Tod hatte
einen schwarzen Schnurrbart
und wartete auf uns;
und viele von uns
bekam er auch.

DER TITTEN-TEMPEL

Mit Jimmy und Bill ging ich
fast jeden Sonntag ins
Varieté in der Main Street;
in den Schaukästen hingen Fotos
von den Girls; es waren
nicht immer die gleichen –
manchmal kündigte eine
dann wurde aus der
Tingeltangel-Riege eine zur
Stripperin befördert, oder
eine Stripperin mußte
zurück ins Glied und wurde
durch eine jüngere ersetzt.
Es hatte etwas Trauriges
aber am schlimmsten war es
während der Vorstellung
wenn manche von den alten
Typen sich einen runter-
holten; die jungen machten
es nie, immer nur die
alten, sie saßen fast alle
in der ersten Reihe,
die deshalb ›Glatzen-Sperrsitz‹
hieß.

Mir gefiel der Komiker
am besten, er hatte viel zu
große Klamotten an, Hosen-
träger, große Latschen an den
Füßen, die Krempe seines
Filzhuts war vorne und hinten
hochgebogen. Er war wirklich
gut. Wir lachten über seine
Witze, seine Schrullen.

Die schönste Stripperin
trat immer zuletzt auf, und
an manchen Tagen zeigte sie
alles.
Es gab auch Razzien; wir
waren nie da, wenn es passierte
aber jedesmal machte das
Theater nach einer Woche
mit denselben Stripperinnen
wieder auf.

Einmal erlebten wir, wie die
schönste Stripperin alles
zeigte. Wir konnten es
nicht fassen.

»Habt ihr das
gesehn?«

»Ja!«

»Ich auch!«

Als wir rausgingen
waren wir noch
wie betäubt.

»Ich wette, die machen
ihnen jetzt den Laden
dicht.«

»Wahrscheinlich war heut
keiner von der Sitte da
und der Geschäftsführer hats
gewußt und hat ihr gesagt
daß sie alles zeigen kann.«

»Wieso werden sie dann
manchmal erwischt?«

»Weil die Sitte ab und zu
’n Neuen schickt, den hier
noch keiner kennt.«

»Ich finde, Frauen sollten
ihre Pussy zeigen dürfen.
Was ist denn schon dabei?«

»Die Kirche hat was dagegen.«

»Scheiß auf die Kirche.«

Wir gingen die Main
Street runter.

So jung würden wir
nie mehr sein.

WAS SOLLEN DIE NACHBARN DENKEN

Das war wohl der Spruch, den ich
von meinen Eltern am meisten
zu hören bekam.
Mir war natürlich schnurz
was die Nachbarn dachten.
Sie taten mir leid, diese
verängstigten Gestalten
die durch ihren Vorhang-
spalt linsten. Jeder
beobachtete jeden. Was
gabs schon groß zu sehen
in der Wirtschaftskrise.
Höchstens mal mich
wenn ich spät nachts
sturzbetrunken nach Hause
torkelte.

»Das bringt deine Mutter
noch ins Grab!« blaffte
mein Vater. »Außerdem, was
sollen die Nachbarn denken?«

Ich fand, daß ich mich
ganz gut hielt: Ohne einen
Pfennig Geld gelang mir
ein Rausch nach dem andern;
eine Fähigkeit, die mir im
späteren Leben noch sehr
zustatten kommen würde.

Noch schlimmer wurde es
für meine Eltern, als ich
anfing, Leserbriefe an eine
der großen Zeitungen zu
schreiben. Die meisten
wurden gedruckt. Alle
machten sich für eine
unpopuläre Sache stark.

Da hieß es gleich wieder:
»Was sollen bloß die
Nachbarn denken!«

Dabei war das Ergebnis ganz
interessant: Haßbriefe,
sogar ein paar Morddrohungen;
und ich bekam Kontakt zu
einigen abgedrehten Mit-
menschen, die glaubten
meine Tiraden wären
ernst gemeint.

Es kam zu geheimen Treffen
in Kellern und auf Dach-
böden, komplett mit
Waffen, Pakten, Plänen,
Reden. Und dort
schnorrte ich auch
so manchen Drink.

Zu den Treffen kamen
hauptsächlich rechtsradikale
junge Typen zwischen 17
und 23. »Wir dulden nicht
das Schwarze unsere Frauen
ficken! Dafür müssen sie
sterben!« Ich bekam
dummerweise gar nichts
zu ficken.

Jedes Treffen begann damit
daß vor der Fahne stramm-
gestanden wurde, was ich
reichlich kindisch fand;
immerhin, die meisten kamen
aus begüterten Familien
und mit manchen von ihnen
zechte ich anschließend.

Ich trank soviel ich konnte
während sie sich ereiferten.
Von mir kam nie ein Wort
aber das schien ihnen nichts
auszumachen: Sie kannten meine
Leserbriefe und hatten keine
Ahnung, daß das nur Mache war.
Nicht, daß ich mich für was
Besseres hielt, aber wenigstens
war ich kein Mitläufer einer
Partei oder Ideologie.
Eigentlich fand ich die ganze
Vorstellung vom Leben und der
Menschheit abstoßend, aber
von den Rechtsradikalen
konnte ich leichter Drinks
schnorren als von alten
Weibern in den Kneipen.

»Ich kanns nicht glauben
daß ich so einen Sohn habe!«
empörte sich mein Vater.

»Was sollen bloß die
Nachbarn denken!« setzte
meine Mutter nach.

Arme, verdammte, patriotisch
verblendete Trottel.

Als sie mich aus dem Haus
warfen, ließ ich das mit den
Treffen sein und hauste allein
in einer Sperrholzbude in
Bunker Hill.
Jetzt brauchten sie sich
nicht mehr darum zu sorgen
was wohl die Nachbarn
dachten.

DAS AUCH

Sanford hatte eine Schwäche
für fiese Streiche, z. B. in
Milchflaschen pissen, Spinnen
die Beine absengen, Katzen
quälen, Wasser in Benzintanks
schütten, usw.

Die Ideen gingen ihm
nie aus.

Wir wuchsen zusammen auf.

Im 2. Weltkrieg meldete er
sich zur Luftwaffe.

»Piloten kriegen die ganzen
Weiber«, klärte er mich auf.

Bei seinem zweiten Einsatz
schossen sie ihm über dem
Ärmelkanal den Arsch aus dem
Himmel.

Man fand nichts mehr von ihm.

Noch so ein fieser Streich
in einer Welt, die voll
davon war.

ARBEITSSCHUHE

Auf Trebe schleppte ich immer
zwei Paar Schuhe mit – eins
für Vorstellungsgespräche und
eins für die Maloche.

Meine Arbeitsschuhe waren
schwer und schwarz und
steif. Manchmal hatte ich
beim Anziehen elende Schmerzen;
an den Zehen waren sie steinhart
und aufwärts gebogen, aber ich
kriegte sie an, auch verkatert
in der Morgenkälte.
Na dann, dachte ich: Auf
ein Neues.
Für einen miesen Lohn schuften
und dafür sollst du auch noch
dankbar sein, schließlich
haben sie dir vor anderen den
Vorzug gegeben.
Wahrscheinlich, weil dein
häßliches Gesicht so
ehrlich wirkt.

Diese Treter mal wieder
anzuziehen war jedesmal
ein schwerer Anfang.
Ich stellte mir vor, wie es
wäre, aus allem raus zu sein.
Am Spieltisch groß
rauskommen oder im Boxring
oder im Bett einer
reichen Dame.
Vielleicht kamen mir diese
Schnapsideen, weil ich zu lange
in Los Angeles gelebt hatte, in
zu großer Nähe zu
Hollywood.

Statt dessen ging ich die
Treppe einer Absteige runter
und bei jedem neuen Anlauf
quetschten mir die steifen Schuhe
die Füße blau. Raus in die
Morgensonne, da ist der
Gehsteig, da die Stadt. Ich
war bloß ein ungelernter
Arbeiter, ein weiterer
Durchschnittsmensch; das
Universum rauschte mir
durch den Kopf und

zu den Ohren raus; die
Stechkarte wartete, daß ich
sie einsteckte, und am Abend
nochmal; dann was zu trinken
und zu den Damen aus
der Hölle.

Arbeitsschuhe, Arbeitsschuhe
in denen ich rumstiefelte
und in mir nichts als
schwarze Nacht.

ERWEITERTER KUNSTBEGRIFF

Wenns einem schlecht geht
konsultiert man Psychiater
und Philosophen, und wenn man
gut drauf ist, machen es
Nutten noch schöner. Sie
sind da für junge und
alte Kerle; zu den jungen
sagen sie: »Keine Angst,
Honey – komm, ich steck ihn
für dich rein.« Und für
die alten zelebrieren sie
einen Act, als wär man
der Größte.
Einer Gesellschaft sollte
klar sein, welchen Rang
die Nutte auf der Werte-
skala einnimmt; ich meine
Girls, denen ihre Arbeit noch
Spaß macht; die daraus beinahe
eine Kunst machen.

Ich denke da an ein Bordell
in Mexiko, das Girl brachte
eine Schüssel Wasser und
einen Lappen und wusch mir
erst mal den Schwanz, er
wurde dabei hart und sie
lachte und ich mußte lachen
sie küßte ihn langsam und zart
dann legte sie sich aufs Bett
und machte die Beine breit;
ich stieg auf und wir machten es
leicht und entspannt, mit Muse
und draußen hämmerte einer an
die Tür und schrie: »Hey, was'n
los da drin? Mach mal!« Doch
es war wie eine Mahler-Sinfonie:
ganz
ohne
Hast.

Hinterher kam sie wieder mit
Schüssel und Lappen aus dem
Badezimmer, wir lachten beide
und sie küßte ihn noch
einmal, langsam und zart, dann
stand ich auf, zog mich wieder
an und ging raus...
»Menschenskind, was hat'n da
so lang gedauert?!«
»Mein Fick«, sagte ich zu dem
Gentleman, ging den Flur lang
und die Treppe runter und
stand im Mondschein auf der
Straße, rauchte eine dieser
süßlichen mexikanischen
Zigaretten, wieder befreit,
wieder Mensch, für ganze
drei Dollar; da mochte ich
die Nacht und Mexiko und
sogar mich selbst.

DER NAZI-TRAMP

Selbstmord
in einem
Säufer-Hotel

Dreh ihn auf den
Rücken

Sieh ihn dir von
vorne an

Segelschiffe
Schlangen
Girls

auf Brust und
Armen

Sogar Worte
wie Liebe
Annie
Mutter

Und am Hals
das geheime Zeichen
das nur Knastbrüder
kennen

Er war Baumwollpflücker
Tramp auf Güterzügen
Hat in Gleisreparatur-
Kolonnen geschuftet
Vielleicht auch mal
einen erschlagen

Selbstmord
in einem
Säufer-Hotel:

Dieses Mal hat er
einen umgebracht

Dreh ihn auf den
Rücken, sieh ihn
dir von vorne an

Tropfen von Harz
Die Fährte von einem
einsamen Fuchs

Gottes Brandzeichen
in Form eines
Hakenkreuzes

ALL DIESE TODE

Norman, Jimmy, Max
im 2. Weltkrieg gefallen
während ich mich in alten
Pensionen verkroch in
Philadelphia und San
Francisco und mir Mozart
und Bach anhörte.

Anderen erging es
anders. Bei George wars
ein Leberschaden. Dale
starb an übersteigertem
Ehrgeiz. Nick ging
auf die übliche harte
Tour drauf: Krebs. Für
Harry waren eine Frau und
fünf Kinder der Tod.

Jimmy hat es richtig
getroffen – als er es mit
seinem Bomber trotz brennender
Motoren zurück nach England
schaffen wollte.
Norman hat es richtig
getroffen – drei Stunden
bis er an 16 japanischen
MG-Kugeln starb.

Uns andere hat es erst
jetzt eingeholt –
wir sitzen rum, lesen die
Comic-Strips in der Zeitung
trinken warmen Wein
rauchen Selbstgedrehte.
Abends um sechs betören wir
unser Blut und unser Wesen
während wir durch Spinnweben
latschen.

Wir haben, was uns
zukommt –
die Raben, die Wellen
die müden Sonnen-
untergänge, die müden
Mitmenschen.

Manchmal ist erst
nach einem ganzen Leben
Schluß, und manchmal
geht es ruckzuck.

EINER KAM DURCH

Peter war eine Mißgeburt
Peter war fett, eine Dumpf-
backe, unbeholfen, er stotterte
und stolperte, die Mädchen
lachten ihn aus, die Jungs
triezten ihn, nach dem Unterricht
mußte er oft dableiben, die Brille
fiel ihm dauernd von der Nase
seine Schnürsenkel waren lose
das Hemd hing ihm hinten raus
er hatte unmögliche Sachen an
und saß immer in der hintersten
Reihe, und der Rotz lief ihm
aus der Nase.

Das war damals. In der Grundschule
und den ersten beiden Jahren
Highschool. Danach
verloren sie ihn
aus den Augen.

Heute fährt er seine teuren Autos
nie länger als ein Jahr, hat ständig
eine neue und noch schönere Freundin
trägt keine Brille mehr, ist
schlank, sieht beinahe gut aus
hat ein selbstbewußtes Auftreten
ein Anwesen in Mexiko, ein
Haus in Hollywood.
Er ist Kunsthändler, spekuliert
an der Börse, spricht
drei Sprachen, besitzt eine Jacht
und ein Privatflugzeug.
Nebenbei ist er auch noch
Filmproduzent.

Denen aus der Schulzeit
ist er ein komplettes
Rätsel. Irgendwas
ist passiert. Aber
was, zum Kuckuck?

Die meisten Götterjünglinge
von damals, soweit sie
überlebt haben, sind krumm
und bucklig, unrühmlich ge-
scheitert, halb verblödet,
obdachlos, senil oder kurz
vor dem Tod.

Es kommt selten so
wie man denkt.
Eigentlich
nie.

MUSTERUNG

Es war eine staubige Kleinstadt
im östlichen Teil von Texas.
Die Gegend war voll von
Auerhähnen.

Ich hatte gerade die Tochter
geheiratet, und sie waren zu uns
ins Haus gekommen und hatten
mich begutachtet, die ganzen
Verwandten und was weiß ich
wer noch.

Jetzt war es überstanden
und ich saß mit einer Flasche Bier
auf der Bettkante.

»Du hast ihnen gefallen«, sagte meine
Angetraute.

»So?«

»Sie haben einen Stadtpinkel
erwartet. Nicht einen
wie dich.«

»Aha.«

»Du hast mehr Whiskey gebechert
als jeder von ihnen, sogar mehr
als Onkel Paul, und du hast
mit keiner Wimper gezuckt.«

»Es war ein guter
Whiskey.«

»Du bist akzeptiert«, sagte sie.
»Sie werden uns keine
Scherereien machen.«

»Wieso? War denn damit
zu rechnen?«

»Meinen letzten haben
sie vergrault.«

»Deinen letzten? Also
Moment mal...«

»Wir waren nur
verlobt.«

»Jemand, den ich kenne?«

Sie lachte.

»Außerdem hast du nicht
protestiert, als der Ausdruck
›Nigger‹ gefallen ist.«

»Ich hab gedacht, sie
meinen mich. Herrgott-
nochmal, ich bin ja
auch einer.«

Ich ging in die Küche und
holte mir noch ein Bier.
Der Whiskey war alle.

Als ich wieder reinkam
schmunzelte sie. »Aber
weißt du, was der
größte Hit war?«

»Nee. Erzähls mir.«

»Deine total versifften Jeans.«

»Ah ja?«

»Und ob. Sie werden
dich hier nie ver-
graulen.«

Ich hatte die Musterung
bestanden. Jetzt konnte
die Parade beginnen.

IRGENDWO IN TEXAS

Ich sitze mit einer Großmutter und
einem Großvater (nicht meinen)
im großen Haus einer Ranch
und die Großmutter sagt, daß sie
eine »gräßliche Migräne« hat
und nicht mehr weiß, was sie
machen soll.

Ich kenne auch den Grund dafür –
weil ich in ihrem Haus rumhocke.

Der Großvater fragt, ob ich einen
Drink möchte. Ich sage ja
und er macht mir einen Whiskey
mit Wasser. Meine Frau
kommt rein und sagt: »Mach ihn
nicht besoffen, Oppi, das gibt
bloß Ärger.«

Ich trinke ex, wende mich an den
Alten und sage: »Wie wärs mit
noch so einem?«

Sie dreht sich um und
geht raus.

So vergeht der Nachmittag. Ich
trinke mit dem Alten, bis er
in seinem Lehnstuhl einschläft.
Danach bediene ich mich selbst.
In den Strahlen der untergehenden
Sonne sitze ich da. Es ist ein
gutes Gefühl.
Nach einer Weile geh ich
hinten raus in den Garten und
sehe einen Indianer, der einen
Hühnerstall zimmert.
Ich setze mich auf die Erde und
seh ihm zu.
»Willst'n Drink?« frage ich.
Er sagt nein.
Nicht dazu aufgelegt.
Also wieder ins Haus. Der
Alte schläft. Großmama hat
immer noch Migräne.
Ich gehe nach oben. Im
Schlafzimmer steht meine
Frau und sagt: »Du bist
ein Ekel.»
»Ja, klar«, sage ich.
Ich lasse mich aufs Bett plumpsen
und starre an die Decke.
Im Gewirr der Risse erkenne ich
einen Engel. Eine Ziege. Einen
Löwen.

Meine Frau rauscht aus dem
Zimmer. Ich frage mich
was sie dem Indianer geben.
Nicht viel. Kost und Logis.
Einen Pott zum Reinpissen.
Ich entscheide mich für
eine Mütze Schlaf. Vielleicht
tut sich später am
Abend noch was.

DER STUMME

Als ich meinen Vater beerdigte
stand der Tod neben mir.
Anschließend stieg ich in mein altes
Auto und fuhr zur Rennbahn
und während ich am Totalisator
die flackernden Notierungen studierte
stand der Tod da und sah sich
die ganzen Menschen an.
»Du hast Dostojewski gekillt«, sagte
ich. Er gab keine Antwort; stand
nur da.
Ich plazierte eine Wette und verlor.
Als ich ins Männerklo ging
kam er mir nach, stand da und
besah sich die Männer an den
Pißbecken.
»Du Drecksau«, sagte ich, »hast
van Gogh dazu gebracht, daß er
sich umbringt.«
Er schwieg auch dazu. Folgte mir
nach draußen, ließ mich stehen und
ging einem Mädchen in einem roten
Kleid nach.
Ich holte mir einen Kaffee
verschüttete einiges und
verbrühte mir die Finger.
Ich fand einen freien Platz und
überlegte mir eine Wette
fürs nächste Rennen.

Auf einmal war er wieder da.
Er saß neben mir, getarnt als
alter Kerl mit einem weißen
Ziegenbart.

»Auf wen tippen Sie im nächsten
Rennen?« fragte er.

»Verflucht nochmal, geh mir
bloß weg, du!«

»Mensch, was ist denn mit
Ihnen?«

»Verschwinde, hab ich gesagt!«
Er stand auf und verzog sich.

Danach sah ich ihn nicht mehr.
Nach dem letzten Rennen
fuhr ich auf dem Freeway
zurück.

Innerhalb von drei Meilen
gings nur noch stockend
voran. Ich blieb auf der
linken Spur und quälte mich
durch.
Dann sah ich es – eine
Karambolage. Üble Sache.
Ein Wagen war auf dem Dach
gelandet, ein anderer in die
Leitplanke geknallt. Unter
der Motorhaube züngelte eine
Flamme heraus. Ambulanzen
kamen mit Rotlicht.
In meinem Magen saugte und
rumpelte es.

Ich fuhr daran
vorbei. Weiter.

Vor meiner Bude parkte ich
stieg aus, die Stufen hoch;
ich schloß die Tür auf –
niemand da.
Dann sah ich den Teddy-
bär, mit dem Gesicht nach
unten, ins Kopfkissen gedrückt.

Mir drei Schritten war ich an
der Kommode und zog die
Schublade auf, in der ich
unter Socken mein Geld
verwahrte.

Nur die Hälfte war weg.

Nett, dachte ich.
Echte Klasse, du
Luder.

Da ging die Tür auf und
der Tod kam herein.

»Trinkst du was mit?«
fragte ich.

Er gab keine Antwort.

Ich ging in die Küche
um nachzusehen, ob noch
was da war.

Jahrhunderte flirrten im
Zeitraffer vorbei.

Während er dastand
und wartete.

SCHMIERGELD

Ich hatte eine Lesung in einem
Coffeehouse in Venice und wir waren
zu früh da, also sagte ich zu
meiner Freundin: Komm, wir gehen
runter an den Strand, dann kann ich
noch ein Bier trinken.
Wir stapften durch den Sand, an
ein paar Anglern vorbei, ich
stellte mich in Positur, Gesicht
zum Ozean, und trank einen
tüchtigen Schluck.
Komm, sagte ich, gehn wir rauf
und noch ein Stück den Boardwalk
lang.
Unterwegs fiel mir ein Mann auf –
einsam auf weiter Flur stand er
da, mit dem Rücken zum Meer, er
hatte ein Flügelhorn, das setzte
er an und blies eine stille
kurze Melodie. Dann brach er ab.
Stand einfach da. Mit dem
Rücken zum Meer.
Als wir zurückkamen, war er
immer noch da. Wieder blies er
dieselbe stille traurige
Melodie und ließ das Instrument
sinken. Es baumelte neben seinem
rechten Knie. Er rührte sich
nicht vom Fleck.

Im Coffeehouse war es heiß; ich
ließ meine Sachen ab, kam
damit durch, stieg wieder
von der Bühne. Dann saßen wir
wieder im Auto und fuhren
zu meiner Wohnung.
»Du hast gut gelesen«, sagte sie.
»Mhm. Danke.«
Doch für mich hatte der
mit dem Flügelhorn den Abend
für sich entschieden.
Ich tastete nach der Rolle
Scheine in der Hosentasche.
Schmiergeld. Und ich
wußte, daß ich an diesem Abend
auf einen Besseren getroffen
war, und der Bessere hatte
gewonnen, und so sollte es
auch sein. Aber das
wußten nur er und ich.

LAUTER OPFER

Diese Köter, sagte sie, stecken
mir dauernd die Schnauze zwischen
die Schenkel. Das *nervt*. Was
treibt die bloß dazu.
Sie hatte eine dunkelrosa
Strumpfhose an, ihre Hände
wirkten wie 50, das Gesicht
wie 40, aber sie war erst Ende
Zwanzig, Anfang Dreißig, machte
einen Psychiater nach dem anderen
durch und bezog eine Opfer-
rente. Das hätten wir alle
gern gehabt.
Wir sprachen davon, wie
schlecht wir uns fühlten
wenn wir gewisse Insekten
killten, kamen aber zu dem
Schluß, daß es okay war
Spinnen und Kakerlaken zu
killen; es war auch in Ordnung
Fisch und Krebse und Hummer
zu essen; Hühner auch, die
hatten eh kein Hirn, aber
Schweine eigentlich nicht
denn die waren noch klüger
als Pferde.
Ich arbeite als Cocktail-
Kellnerin, sagte sie, und
trage so einen Minirock, aber

ich bins echt leid, daß mir
die Männer zwischen die
Schenkel starren. Ich tu mich
so betüteln, daß ich Drinks
auf die Gäste verschütte
und dann trete ich noch als
Sängerin auf – nicht Rock, das
ist abgemeldet, ich singe
Jazz...
Willst du meine Frau
werden? fragte ich.
Ja, sagte sie.

Später bekam sie Streit mit
ihrem Freund, und die beiden
ließen mich mit der Weinflasche
allein, und ich saß da
aß ein halbes Hähnchen und
hörte mir Schostakowitsch an
bis fünf Uhr früh.

DICH KENN ICH DOCH

Du mit den langen Haaren, die
Beine übereinander, auf dem
hintersten Barhocker; du
wie ein Schlachtermesser an
meiner Kehle, während die
Nachtigall woanders singt und
das Zischen der Kakerlake durchs
Gelächter dringt.
Ich erkenne dich in dem miserablen
Klavierspieler im Restaurant, der
Mund ein winziges Loch über einer
Jauchegrube, die Augen wie
nasses Klopapier.
Du hast hinter mir auf dem
Fahrrad gesessen, als ich in
meiner Kindheit nach Venice
geradelt bin, ich hab gewußt
daß du da bist, sogar in der
Brise vom Meer habe ich deinen
Atem gerochen.
Ich habe dich gekannt im Bett
wo du verlogene leidenschaftliche
Worte geflüstert und mich mit
spitzen Fingernägeln in dich
gedrückt hast.
In Spanien habe ich dich
gesehen, angebetet von der Meute
während kleine Stierkämpfer mit
ihrem Degen die Sonne zu deinem

Ruhm blutrot färbten.
Ich habe dich gesehen auf dem
Rundkurs von Freund und Feind,
Berühmten und Fremden, während
dem Fuchs in der heißen Sonne
das Herz im Hals schlug.
Die irren Gestalten, mit denen
ich mich am Hinterausgang von
Kneipen geprügelt habe –
das warst jedesmal du.
Ja, du. Du hast Platons
letzte Worte gehört.
Neulich morgens fand ich meine
alte Katze im Garten, die ver-
trocknete Zunge hing ihr schief
aus dem Maul, als hätte sie nie
zu ihr gehört, die Augen
verdreht, die Lider noch weich;
ich hob sie auf, das Licht
schimmerte auf meinen Händen
und ihrem Pelz, meine ignorante
Existenz wütete gegen die
Blumen, die Hecken.
Ich kenne dich. Du wartest
während die Brunnen sprudeln
und die Waagen wiegen. Du
nerviges Luder. Komm nur
rein, die Tür ist offen.

IN DER BAR

In der Bar
hat die Bierflasche
die einer packt
schon verloren
Draußen das Geräusch
von Autoreifen
im Regen
Es blitzt und
splittert
Jemand
lacht

IMMER UND EWIG

Es gibt immer einen, der dir
Holz hackt oder von
Gott spricht;
es gibt immer einen, der
dir das Fleisch schlachtet
oder den Stampfer in das
verstopfte Klo rammt;
es gibt immer einen
der dich beerdigt, es
gibt immer Tiere mit
sagenhaften Augen, und
es gibt immer einen wie
Stanley, der sich zu mir
beugt und leise sagt:
»Hast du gewußt, daß sich
Saroyan am Ende seiner Karriere
seine Sachen von andern
schreiben ließ gegen eine
Beteiligung von 25 Prozent?«
Da sollte ich mich als was
Besonderes fühlen, es sollte
mich aufmuntern, weil ich ein
hungerleidender Autor war
mit einer rekordverdächtigen
Zahl von Ablehnungsbescheiden.
Es hat mich nicht
aufgemuntert.

Es gibt immer einen oder
etwas, das dich noch
elender macht.

Immer ein überfahrener Hund
auf dem Freeway
Immer eine Nebelwand
voll Rasierklingen
Immer ein besoffener Christus
mit dreckigen Fingernägeln
in der Taverne.

ZIMMER 106

Mitten in der Nacht
in die Stadt gekommen
noch ein Zimmer gefunden
in einem Motel, Zigarette
angezündet, Schwarzweiß-
Fernseher eingeschaltet.
Ein Pärchen nebenan hat
Streit; Südstaatler; die
Stimmen klingen betrunken.
Ich knipse den Fernseher aus
spähe durch die Lamellen der
Jalousie – mein Auto steht
noch da. Ich ziehe mich aus,
zu müde zum Duschen, kann mir
grade noch die Zähne putzen;
mache das Licht aus, lege mich
im Dunkeln aufs Bett. Nebenan
höre ich sie immer noch; der
Streit ist nicht besonders
interessant; ich bin müde und
kann nicht einschlafen. Nach
einer Weile lassen sie es
sein; jetzt hör ich nur noch
die Autos auf der Straße.
Immer noch kein Schlaf.
Ich stelle mir vor, ich läge
tot auf diesem Bett, das
Zimmermädchen wird mich finden
wenn sie die Bettwäsche und

Handtücher wechseln will.
Sie wird einen halb erstickten
Schrei von sich geben, die Tür
zuschlagen und weglaufen.

Die Vorstellung hat was. Ich
gähne, dreh mich auf die rechte
Seite; durch die Jalousie sehe
ich das Neonzeichen NO VACANCY
und schon fallen mir
die Augen zu.

ZOCKER

Wie seltsam, an einem schwülen
Sommerabend nach Hause zu
kommen, das vollgekritzelte
Rennprogramm nochmal her-
zunehmen und zu sehen, wie alles
gekommen ist.
Mit einem kalten Bier sitzt du
im Unterhemd da und gehst es
nochmal durch, präparierst dich
fürs nächste Mal, den magischen
Augenblick, wenn eine Wette
nach der andern eintrifft.
Es rückt das Leben gerade, es
beweist, daß du dein Metier
beherrschst. Allgemeiner
Konsens, Speed, Pace,
Beständigkeit der Form,
bisher erlaufenes Preisgeld.
Alles da. Das ewige
Geheimnis, gleich
um die Ecke.
Jetzt nicht nachlassen,
die Zeit wird knapp; du hast
70 000 Rennen gesehen, die
meisten Jockeys, die du
gekannt hast, sind schon
nicht mehr am Leben. Halt
dich ran, Chinaski, laß die
Gerte nicht fallen, stoß in

die Lücke, das Ziel rast dir
entgegen, da in deinem
Zimmer, an einem schwülen
Sommerabend, Zigarette im
Mundwinkel... Es kann nur
ein Irrsinn sein, ist nie
was anderes gewesen, diese
endlose Suche nach der
letzten Wahrheit, die
man nie zu fassen
bekommt.

BLUE MOVIE

Der Typ mimte einen betrunkenen
französischen Maler, der in
seinem Sessel eingeschlafen ist
und ich saß mit einem Bier
abseits auf einer Couch. Dann
kamen zwei Girls dazu.

Die eine machte ihm die
Hose auf und massierte
seinen Schwanz. Die andere
stellte sich vor die
Staffelei und malte ein
Bild davon.

Er wachte auf, und die
Girls zogen sich aus, und
der Maler hatte seinen Schwanz
und die beiden Girls, und
er machte alles mit ihnen
und sie mit ihm.

Manchmal war es schwer
die drei Leiber auseinander
zu halten, der Kameramann
zoomte drauflos, und
ich dachte: Mensch, wir
sind doch alle plemplem.

Als der Film abgedreht war
stellte man mir die Akteure
vor. Der Mann nahm Flugstunden
und wollte mal Berufspilot
werden; die Jüngere (kam mir
jedenfalls so vor) finanzierte
ihrer Tochter ein College-
Studium; die andere wollte
nach Asien und Meditieren lernen
oder so was.

Der Kameramann spendierte
eine Flasche Whiskey, wir saßen
herum und flachsten und
genossen die Stimmung.

Sie verdienten ihr Geld mit
Pornos in Studio 228, einer
kleinen Klitsche irgendwo
in Hollywood, aber ich hatte
so eine dumpfe Ahnung – wenn
ich jetzt meinen Schwanz
rausholte, würden es alle
vulgär finden, sogar ich.

Also trank ich noch ein paar
dann ließ ich mir von der einen
ihre Telefonnummer geben, für
später, und fuhr nach Hause.

ABGELEHNTE STORY

Als ich noch in diesem Schuppen
an der DeLongpre wohnte, bekam ich
den gehässigsten Schrieb meines Lebens
vom Redakteur einer Sex-Zeitschrift
in der Melrose Avenue.

»Hör mal, Bukowski, du kannst
ganz gut schreiben, aber schick uns
nie wieder so eine Story!
Kein Mann kriegt in 12 oder
24 Stunden so viele Weiber
auf die Matratze, schon gar nicht
ein häßlicher alter Furz wie
du!
Deine bisherigen, fiktiven Sachen
haben uns sehr gefallen
aber trag bloß nicht so
dick auf, die Leser werden es
dir niemals abnehmen
und für uns hier sind deine
grausigen Übertreibungen
eine gottverdammte
Zumutung!«

Tja nun. Ich überflog die
Story und stellte fest, daß sie
vollkommen akkurat war. Nichts
war erfunden.

Ich ließ die Seiten zu
Boden segeln, ging in die
Küche und mixte mir
einen Drink. Kaum war ich
wieder im vorderen Zimmer
da klopfte es an die Tür.

Eine junge Dame stand da.
Sie wirkte wild
entschlossen.

»Was machst du grade?«

»Nichts.«

»Also ich fahr jetzt
Nina schnell zu ihrem
Vater und bin gleich
wieder da!«

»Oh. Wie schön, Baby...«

Sie rannte zu ihrem
Wagen. Im nächsten
Augenblick donnerte sie
die Straße runter.

Ich trank das Glas
halb leer. Da klingelte
das Telefon.
»Hallo?« meldete ich mich.
Eine Frau war dran.

»Was machst du so?«

»Nichts.«

»Trinkst du?«

»Ja.«

»Hast du eine
Frau da?«

»Nein.«

»Wir sind zum Essen
verabredet, und du hast
gesagt, du bleibst die
Nacht bei mir – weißt du
noch?«

»Klar, Baby. Punkt sieben
bin ich da.«
Sie legte auf.

Ich setzte mich mit
meinem Drink.
Trank aus, stand auf
machte mir noch einen
und setzte mich
wieder hin.

Es klopfte.
Meine Vermieterin.
Ihr Gesicht hatte
ziemlich Farbe.
Hatte schon einiges
intus.

»Okay«, sagte sie
»ich hab zwölf
Literflaschen Eastside
im Kühlschrank.
Kommst du?«

»Später...«

»Daß du mich ja nicht
versetzt, du geiler
alter Hundsknochen!«

»Oh, keine Sorge...«

Weg war sie. Und ich
schaute auf die abgelehnte
Story am Boden.
Zu dumm, daß manche dachten
nur gutaussehende junge
Kerle bekämen die ganze
Action.
Dabei wollte ich es
gar nicht. Es kam mir
nur beim Schreiben in
die Quere.

Gut, es verging auch mal
ein Tag, ohne daß sich
eine blicken ließ. Da
onanierte ich manchmal.
Das waren die Tage
wo ich meine Arbeit
machte.

Ich hob die Story auf
und steckte sie erst mal
in den Umschlag zurück.

Um sie später einem
Redakteur zu schicken
der mehr gesunden
Menschenverstand
hatte.

DIE SCHÖNE DAME

Wir sind gekommen
um sie zu begraben
in diesem Gedicht

Sie war nicht mit einem
arbeitslosen Süffel
verheiratet, der sie
jeden Abend vermöbelt
hat

Ihre Kinder werden nie
in rotzverschmierten
Hemden und ausgefransten
Kleidern herumlaufen
müssen

Die schöne Dame ist
schlicht und einfach
gestorben

Möge der frische reine
Turf dieses Gedichts
sie bedecken

Sie und ihren Schoß
und ihre Klunker
ihre Kämme
ihre Verse

Und ihre blaßblauen
Augen und ihren
grinsenden
reichen
verängstigten
Mann

FATAL

William Saroyan
hat zweimal
dieselbe Frau
geheiratet

Das heißt
er muß vom
ersten Mal
etwas ver-
gessen
haben

Jedenfalls
meinte er
das hätte
sein Leben
ruiniert

Tatsache
ist aber
daß es sehr
vieles gibt
was einem
Menschen das
Leben ruinieren
kann

Es kommt nur
darauf an, was
ihn zuerst
erwischt

NA ENDLICH

Vollkommen kirre
fährst du am Nachmittag
durch die Straßen, hältst
an Ampeln, besiehst dir
die Fußgänger auf dem
Bürgersteig. Es ist
Realität, aber eine
verblaßte. Du weißt
dein Urteil ist
getrübt; aber was
soll's.
Schon zu lange auf
der Welt. Das ist
dein Problem. Eine
Story, die sich
abgenutzt hat.

Die Ampel wird
grün, du fährst über
die Kreuzung, in eine
Seitenstraße; die Häuser
sind klein, traurig,
mutlos. Der Asphalt
blubbert unter den
Reifen. Aber wo soll
man schon hin. Keine
Überraschung mehr;
kein Staunen.

Schon zu lange auf
der Welt, alter Hund.
Angeschmuddelt vom
Leben.

Zurück zur Avenue.
Du parkst hinter einem
Taco-Stand, steigst
aus, gehst an den
Tresen und wartest.

Eine Dicke stellt sich
vor dich hin und
mustert dich.
Du gibst dich
gelassen. »'n kleinen
Kaffee«, sagst du.
»Schwarz.«

Sie lächelt, und
das Lächeln besagt:
Ich weiß, du hast sie
nicht mehr alle,
aber – schon gut.

Sie stellt dir den
Kaffee hin. Du
setzt dich damit
ins Auto. Schaust
auf eine schmutzig-
gelbe Wand. Schlürfst
das Zeug. Eine bittere
gräßliche Brühe.

Du hältst den halb-
vollen Pappbecher aus
dem Fenster und läßt
ihn fallen, setzt
rückwärts raus, fährst
Richtung Meer.

Da hilft kein Psychiater
keine Psychologin, kein
Gott. Trinken hilft
auch nichts mehr, und
Drogen machen es nur
schlimmer.

Also fährst du
eben weiter.
Hundert Jahre.
Jahrhunderte.
Dein umnebelter
Schädel ragt aus
der Öffnung des
Schiebedachs
schlingert auf
einem langen
Schlangenhals
lächelt ein
blutiges Lächeln.
Endlich – das
Paradies.

STILLES VIERTEL

Fast alle hier
sind auf Drogen
aber die echten Profis
funktionieren weiter;
den ganzen Tag, bis
in die Nacht hinein.
Kümmern sich um ihren
Kram, holen ihre
Wäsche ab, bezahlen
ab und zu eine
Rechnung, bewältigen
ihren Alltag. Es ist
eine Komödie, fast ein
Normalzustand.
Die Gegend ist voll
von ihnen; sie kommen
aus dem Haus, springen
ins Auto, wirken wie
du und ich; bis man
sie besser kennt.
Sie haben Kinder
gehn manchmal zur Wahl
und sehen fern;
sie benehmen sich wie
Durchschnittsbürger, und
was sie sind, wird
für sie irgendwann
normal. Hunderte in
dieser Gegend, permanent

auf Drogen. Niemand
hält sich damit auf.
Sie brauchen den Stoff
zum Weiterleben; wir
wissen alle Bescheid
doch man spricht nicht
davon; während die
Polizei, von den Steuern
der User mitfinanziert,
einen Dealer nach dem
anderen abräumt, in
diesem reizenden
stillen Viertel.

WISSEN, WANN MAN SCHWEIGT

Bin mit meiner Frau und ein paar
anderen in einem vornehmen
schummrigen Lokal, wir bestellen
einen Wein, teures Zeug, der
Kellner bringt die Flasche
dreht den Korkenzieher rein
und rupft ihn raus, ohne den
Korken dran; er versucht es
nochmal, ruckt daran, und es
passiert dasselbe: Außer Bröseln
nichts gewesen.

»Geht nicht so leicht, hm?«
sage ich.

Meine Frau stößt mir den Ellbogen
in die Rippen, der Kellner holt
eine andere Flasche, bohrt den
Korkenzieher rein – dasselbe
wie vorher.

»Sie brauchen einen besseren
Korkenzieher«, gebe ich zu
bedenken.

Wieder ein Rippenstoß. Der Kellner
funkelt mich an, er ist in Rage,
macht noch einen Versuch, mit
dem gleichen Ergebnis.

»Wow!« sage ich.

Die anderen sehen mich an, als
wäre ich ein frisch verurteilter
Kinderschänder; alle außer mir
sind jetzt empört, während der
Kellner die dritte Flasche holt;
als er den Korkenzieher
ansetzt, fixiert er mich.
Im stillen (versteht sich)
wünsch ich ihm diesmal Glück.
Tatsächlich, er schafft es.

Ich bin der Weinkenner am
Tisch. Er gießt mir ein bißchen
ins Glas, ich nippe daran,
warte einen Moment, nicke
ihm zu.

Den Rest des Abends
unterhalten sich die anderen
als wär ich gar nicht da;
doch was ich von der Unterhaltung mitbekomme, macht mich
froh, daß ich davon
ausgeschlossen bin.

Dann bezahle ich die Rechnung
gebe 20 Prozent Trinkgeld
und wir gehen raus auf den
Parkplatz. Die anderen sind
überzeugt, daß sie sich so
zivilisiert benommen haben
wie es sich in einem teuren
Restaurant gehört, und während
die Lakaien losrennen, um
unsere teuren Schlitten zu
holen, frage ich mich, was der
Kellner jetzt mit den zwei
Flaschen machen wird. Ich
puhle vermurkste Korken
immer raus und trinke den Wein
mit Bröseln und allem.

Mittlerweile wartet meine Frau
darauf, daß wir im Auto allein
sind, damit sie mir sagen kann
wie mies ich den Kellner
behandelt habe und ob ich
denn nicht weiß, wie man
sich in der Öffentlichkeit
benimmt.

Und ich werde dazu
schweigen.

EIN HEFTPFLASTER FÜR DIE SEELE

Was uns aufreibt
erklärte ich ihm
ist unser Gewissen.

Nein, nein, das hab ich
nicht gemeint, sagte er.
Ich meine, ich wache auf
mit einem guten Gefühl,
voller Tatendrang, ver-
stehn Sie, egal was
kommt, und das erste
Wort, das sie zu mir sagt
ist so daneben und gemein
und stupid, verstehn Sie,
da bin ich restlos
deprimiert und der ganze
Tag ist mir versaut.

Was uns schlaucht, sagte
ich, sind unsere über-
steigerten Erwartungen.

Oder, fuhr er fort, ich
hab den ganzen Tag meinen
Job gemacht, das ist schwer
genug, aber ich habs hin-
gekriegt, dann fahre ich
zuhause die Einfahrt hoch und
denke: So, jetzt zum angenehmen
Teil. Ich steige aus, komme rein
und da sagt sie was, das überhaupt nichts zu tun hat mit
ihr oder mir, verstehn Sie,
es ist einfach total
widerwärtig und kraß, und schon
ist auch dieser Abend und
meine ganze Stimmung futsch.

Sie hören sich an wie ein
Nörgler, sagte ich.

Soll das heißen, Ihnen
passiert so was nicht?
fragte er. Ich meine,
mit ihrer Frau?

Nie, sagte ich.

Keine Probleme? Sie
achtet Sie?

Sie betet mich an, sagte
ich. Wie ich gehe und
rede, meine Aura, die
ganze Chose.

Das glaub ich Ihnen nicht.

Sollten Sie auch nicht,
sagte ich.

Wieso sind Frauen so?
fragte er.

Aus Liebe. Weil sie sich
sorgen.

Vielleicht wärs besser
sie würden uns hassen, hm?

Tun sie ja, sagte ich.

Ich wollte, sie würden uns
wenigstens mit dem gleichen
Respekt begegnen wie jedem
Wildfremden, meinte er.

Das würden wir nicht aushalten.

Sie meinen, wir bekommen
was wir brauchen? fragte
er.

Wir brauchen, was
wir bekommen, sagte
ich.

Und das ist alles?

Für heute ja, sagte ich.
Ihre Stunde ist um.
Macht 150 Dollar.

Ich glaube, Sie haben
mir noch ein paar
Probleme mehr
gemacht, sagte
er.

Möglich, sagte ich.
Und deshalb sollten
Sie nächste Woche
wiederkommen.

Ja, wahrscheinlich
sagte er.

Also bis dann, sagte
ich. Wiedersehn.

IMMER DEM FUCHSBALG NACH

Das vollkommene Gedicht
wird nie einer schreiben.

Es ist 11 Uhr vormittags
ich setze aus der Einfahrt
raus, ein Stück den Berg
rauf, winke meiner Frau
fahr die Straße runter und
in die Welt.

Das vollkommene Gedicht
wird nie einer schreiben.
Nicht hier, nicht
sonstwo, nicht auf
ein Blatt Papier
auf die Straße
an die Mauer
in Paris
in Peru
im Männerklo
im Wartesaal
auf eine Plakatwand
auf einen Stecknadel-
kopf. Nie wird jemand
das vollkommene Gedicht
schreiben.

Dafür
wollen wir
den Göttern
dankbar
sein.

FREEWAY

Die sieben Sonnen wurden
blaß und verschmolzen
zu einer, der letzte
Tümmler kam an die
Oberfläche, als ich in den
fünften Gang schaltete
und es aufnahm mit dem
Mann im weißen Porsche
(neuestes Modell)
Trommeln dröhnten in
meinem Hirn, ich spürte
mein Blut bis in die
Zehen, als ich das Gas-
pedal durchtrat bis auf
den Boden; zentimeterweise
holte ich auf, und
Mount Shasta explodierte
in einen herrlichen
Tag.

DIE NEUEN OBDACHLOSEN

Seit zwölf Jahren fahre ich
durch diese Straße mit ihren
Bäumen, den teuren Häusern
den Reitwegen, dem satten Aroma
von Geld und Geborgenheit;
doch jetzt, in dieser mehr als
seltsamen Zeit, bricht plötzlich
etwas weg, und für manchen
nicht ganz so Reichen
beginnt eine lange düstere
Rutschpartie.
Nicht alle hier sind
betroffen, aber in der Zeitung
war heute zu lesen, daß ein Teil
der 850 000-Dollar-Anwesen
auf einer planierten
Müllkippe steht. Einfahrten
brechen auf, Gärten senken sich
ab, Risse in den Mauern, die
Fundamente geben nach.
Nachts hört man schon mal
einen dumpfen Knall – aus
Erdspalten dringen Gase, leicht
entflammbar, vielleicht auch
toxisch. Die Bäume
sterben ab, in den Gärten
wächst nichts mehr. Die Häuser
sind unverkäuflich, aber
die Grundsteuer bleibt

dieselbe.
Selbst die Reitwege
wellen sich bedenklich.
Die Pferde bleiben in ihren
baufälligen Ställen.

Diese Leute dachten mal
sie hätten einen guten
Riecher gehabt und ihre
Chance genutzt. Jetzt
sind sie ruiniert, und die
Baulöwen und Makler, denen
sie aufgesessen sind
haben sich längst in ein
behaglicheres Klima
abgesetzt.

America the Beautiful
ist auf einmal häßlich
geworden. Ein ums
andere Mal, so
oder so, werden einige
immer wieder
klassisch
abgezockt.

DAS BRINGT NICHTS

Triviale, piefige Klagen
immer wieder vorgebracht
können einen Heiligen
wahnsinnig machen, erst recht
einen gewöhnlichen braven
Sterblichen wie mich; und
schlimmer noch: Die Plärrer
merken es gar nicht, bis man
es ihnen schließlich sagt
und selbst dann noch
wollen sie's nicht
wahrhaben.
Es führt zu nichts.
Nur wieder ein Tag
vertan, in den
Arsch getreten,
verstümmelt.
Während mein Buddha
schmunzelnd in seiner
Ecke sitzt.

KEINE SORGE

Nach einem Tag auf der Rennbahn
ein paar Bahnen im Pool
geschwommen, dann fünf Minuten
ins Jacuzzi, unter die Dusche,
die Post durchgesehen (nicht
besonders interessant); dann
erzählt das gute Eheweib
etwas von ihrem Tag, die
sieben Katzen begrüßen
mich, eine nach der
anderen, und der
Abend hat begonnen.

Von der puren Hölle
zu so etwas. Kann ich
es ertragen?
Kannst du es?

Keine Sorge.
Die Hölle kommt wieder,
stärker denn je; sie wird
mich wiederfinden, älter
geworden, fetter, und ich
werde es dir berichten
lieber Leser, in der
gewohnten Weise.

EIN INTERVIEW

Was würden Sie tun, wenn Sie
noch fünf Minuten zu
leben hätten? fragte er.

Gar nichts.

Wirklich?

Ja.

Na schön. Mal angenommen
Sie hätten noch zwei
Wochen zu leben?

Auch nichts.

Also kommen Sie! Jetzt
mal im Ernst!

Ist doch mein Ernst.
Glaub ich jedenfalls.

Also gut. Und wenn Sie noch
zwei Monate hätten?

Entweder eine Bank überfallen
oder Wasserski lernen.

Sie nehmen die ganze
Sache nicht ernst.

Tja, was würden Sie denn
machen, wenn Sie noch zwei
Monate zu leben hätten?

Na, ich würde Tag und
Nacht saufen und
ficken.

Okay, schreiben Sie das
auch für mich hin.

Jetzt sprechen Sie meine
Sprache! sagte er.

Für einen, der nur noch
zwei Monate zu leben
hatte, wirkte er
sehr zufrieden.

UNSTERBLICHE TOMATE

Die Lady mit dem ewig
jugendlichen Aussehen
hat ein Problem. Die
berühmte Klinik, in der
sie sich seit Jahren das
Gesicht liften läßt, will
nicht mehr.
Die Gesichtshaut ist
inzwischen so straff wie
ein Luftballon kurz vor
dem Platzen. Sie
wollen nicht riskieren
daß sie nochmal in eine
Kamera lächelt und
explodiert wie eine Tomate
mit einem Kanonenschlag drin.
Über die Linse und
das ganze Team.

Arme Puppe.
Sie ist nur noch
ein altersloser Star
von vielen.
Trotzdem. Sie
wird nie sterben:
Filme halten länger
als wir.

ES IST NIE ZU SPÄT

Ich möchte sein wie der
Mann, der heute abend ins
Restaurant kam. Er parkte
direkt vor dem Eingang und
blockierte mehrere Wagen;
knallte die Fahrertür
zu, kam rein, das Hemd
über seinem dicken Wanst
hing ihm aus der Hose
und als er den Oberkellner
sah, rief er »He, Frank,
besorg mir 'n gottverdammten
Tisch am Fenster!« Und
Frank lächelte und
lief neben ihm her.

Ich wäre gern
wie der.
Auf meine Art
klappt es nicht.
Schon seit mehr
als siebzig
Jahren.

DA HABEN SICH ZWEI GEFUNDEN

Er ist ein Schrank von einem Kerl.
Wenn er mich besuchen kommt, setzt
er sich in den großen Sessel und
brennt sich eine Zigarre an
und ich hole den Wein.
Der Große schluckt drauflos
und ich schlucke mit. Er
sagt nicht viel. Er ist
ein stoischer Mensch.

Wenn andere vorbeikommen
sagen sie: »Mensch, Hank, was
siehst du bloß in dem Kerl?«
Und ich sage: »Hey, er ist
mein Held. Jeder braucht
einen Helden.«

Der Große pafft nur Zigarren
und trinkt. Er steht nie auf.
Muß anscheinend nie pissen.
Würde ihn nur ablenken.

Er raucht zehn Zigarren pro
Abend und zecht mit mir um
die Wette. Er zuckt mit
keiner Wimper.
Ich auch nicht.

Sogar wenn wir uns über Frauen
unterhalten, sind wir einer
Meinung.

Es ist am besten, wenn wir
allein sind, denn mit anderen
redet er kein Wort.
Am nächsten Morgen erinnere
ich mich nie, daß er
gegangen ist. Ich sehe nur
seinen leeren Sessel, die
ganzen Zigarrenstummel
und leeren Flaschen.

Am meisten gefällt mir
an ihm, daß er nie das
Bild trübt, das ich
von ihm habe. Er ist
ein knarziger Hundesohn
und ich bin auch einer
und wir treffen uns
so alle drei Monate und
ziehen unsere Nummer ab.

Jedes bißchen mehr
würde über unsere
Kräfte gehn.

GLASBRUCH AUS LIEBESKUMMER

Ich bin im oberen
Stockwerk, in Schlaf-
anzug und Bademantel, es
ist ein Uhr morgens, da
höre ich es: Eine Frau schreit
als ginge es ihr ans Leben;
dazu dumpfes Poltern und das
Splittern von Glas. Es klingt
schlicht brutal.
Ich gehe die Treppe runter
und vorne raus. Meine Frau
bleibt vor dem Fernseher
sitzen.
Ich geh nach vorn zur
Straße; auf der anderen
Seite, 3 Häuser weiter
unten, steht ein rotes Auto
halb in der Einfahrt, halb
auf der Fahrbahn. Das
Kreischen geht weiter.
Und das dumpfe Poltern.
Dann springt jemand in das
rote Auto, reißt das Lenkrad
herum und braust die
abschüssige Straße runter.

Der Dicke vom Haus an der
Ecke kommt zu mir herüber.
»Scheiße, was 'n los?« frage
ich ihn.

»Der Typ da unten hat seiner
Freundin sämtliche Scheiben
von ihrem Auto eingetreten.«

»Heiliger Strohsack ...«

Dem Dicken haben sie vor sechs
Monaten mitten in der Nacht
das Auto mit Kugeln
durchsiebt.

In der Nachbarschaft
ist nichts mehr
wie es war.

Jetzt kommt da unten ein
Wagen rückwärts aus der
Einfahrt und donnert im
Rückwärtsgang die steile
Straße hoch. Oben
hält er, mit laufendem
Motor und ausgeschalteten
Scheinwerfern.

Unten fährt mit zuckendem
Blaulicht ein Streifen-
wagen vor. Die Cops
steigen aus und reden
mit den Bewohnern.

Der Typ da oben läßt den
Motor aufheulen, haut den
Gang rein und rast mit
Vollgas bergab, dicht
an den Bullen vorbei.
Die hechten in ihren
Streifenwagen und rasen
ihm nach.

»War nett, dich zu sehn«
sage ich zu dem Dicken.
»Ich bin übrigens Hank.«

»Und ich Eddie.«

Wir schütteln uns die Hand.

»Muß wieder rein, Eddie.
Meine Frau beruhigen…«

»Ich auch, Hank.
Paß auf dich
auf.«

»Du auch, Eddie.«

Ich gehe die Einfahrt
rauf und ins Haus.

»Was war denn?« fragt sie.

»Liebeskummer.«

»Verletzte?«

»Glaub nicht.
Noch nicht...«

Ich setze mich zu ihr
auf die Couch. Sie
sieht sich die
David-Letterman-Show
an.

Dave weiß mal wieder
von gar nichts und
grient in die Kamera.
Ich stehe auf und
hole mir eine Flasche
Wein.

HOMO LUDENS

Letzten Sonntag waren wir
beim Japaner. Sie bestellte sich
einen Tee, ich eine Flasche Bier.
»Ohne Glas«, sagte ich zum
Kellner. Er blieb stehen und
fragte nach: »Ohne Glas?« Und
ich sagte: »*Jaaa.*«
Ein paar Gäste drehten sich
nach mir um.
Als das Bier kam, setzte ich
die Flasche an und trank
einen langen Schluck. Der
Kellner kam wieder und
lächelte verlegen. »Nicht
doch ein Glas?«
»Danke, nein«, sagte ich.
Wir bestellten unser Essen.
Als er weg war, sagte sie:
»Bitte laß dir ein Glas
bringen, Hank.«
»Ich trink mein Bier
lieber so«, sagte ich.
»Ich werd hier keinen
Bissen runterkriegen«
sagte sie.
Ich genehmigte mir noch
einen Hit. Diesmal ragte
die Flasche steil nach
oben, als würde ich auf

einem Kornett das
hohe C blasen.
»Drecksack«, sagte
meine Frau.
Ich lächelte.
Gott nee, so was von
ungehobelt. Und es war
erst neun Uhr abends.
Noch soviel Gelegenheit
richtig in den Fettnapf
zu treten, dachte ich.
Und gähnte.

GLASGOW

Du meinst in Schottland?
fragte er.
Ja, da schick ich ein paar
Gedichte hin, sagte ich.
Was? Die haben dort
Zeitschriften?
Gibts doch überall, sagte
ich. Zeitschriften. Autoren.
Sogar deine Mutter schreibt.
Und einen wunderbar drallen
Arsch hat sie auch.
Na, na, meinte er. Mal
langsam, du. Mit dir
werd ich jederzeit
fertig!
Ah ja?
Und wie, sagte er.
Auf was wartest du noch?
sagte ich. Nichts als
Luft zwischen uns.
Nur zu.
Du hast 'n großes Maul
sagte er.
Und deine Mutter hat 'n
dicken Arsch, sagte ich.
Was redest du dauernd vom
Arsch meiner Mutter? wollte
er wissen.
Weil das alles ist, was ich

von ihr seh, wenn ich
sie sehe, sagte ich.
Die wollen dein Zeug nicht
in Schottland, sagte er. Und
ich find dein Zeug auch
nicht gut.

Es war ein windiger Dienstag-
nachmittag. Wir saßen in
einem Strandcafé und
tranken grünes Bier.
Wir waren beide Schrift-
steller, aber er war
nicht so gut wie ich, und
das ärgerte ihn.

Seine Mutter kam zurück
und setzte sich wieder
zu uns. Sie war auf dem
Klo gewesen.

Mary, sagte ich, ich schick
ein paar Gedichte nach
Schottland.

Bestell mir noch ein
Bier, sagte sie.

Ich winkte den Kellner
heran und bestellte
noch drei.

Mary spuckte auf den Boden
und steckte sich eine
Zigarette an.

Mary, sagte ich, hat dir
schon mal einer gesagt
daß du wunderschöne Augen
hast? Wie Leuchtfeuer im
Nebel.

Ah ja? sagte sie.

Mom, sagte der Kollege, dem
darfst du nichts glauben.

Tu ich aber, sagte sie.

Und einen fabelhaften Arsch
hast du auch, sagte ich.

Und du hast ne Visage wie
ne Hyäne, sagte sie.

Danke, Mary.

Es war ein windiger sinnloser
Nachmittag, die Möwen waren
halb verhungert und stink-
sauer, sie kreisten und
quäkten, landeten auf dem
Strand, pickten ungenießbares
Zeug auf, spuckten es wieder
aus, stiegen auf, schrecklich
schön, auf eine unwirkliche
Art, und ich hatte noch die
Hälfte meines Chicken-
Sandwich über, warf es aus
dem Fenster, und die Möwen
stürzten sich darauf, und
die Wellen rollten herein
und die Fische schwammen
und wir hockten da, mit
unseren Schuhen und
Klamotten, und ich schrieb
besseres Zeug als er, aber
dazu war nicht viel nötig,
es spielte eigentlich keine
Rolle; dann saute sich Mary
mit einem Schwall Bier ein,
stand auf und putzte mit
einer Serviette an sich rum
und ich sah wieder nichts als

Arsch; während die Brecher
schäumten und ich dasaß
mit meinem größten Steifen
seit 1968.

UHU

Heute abend habe ich einen
Uhu gesehen. Es war mein
erster. Er hockte auf dem
Telegraphenmast; meine Frau
leuchtete mit der Taschen-
lampe hoch – er rührte
sich nicht, saß einfach
da, voll angestrahlt, mit
phosphoreszierenden
Augen.

Mein erster Uhu. Mein
San-Pedro-Uhu.

Dann klingelte das
Telefon.

Wir gingen rein. Es
war jemand, der uns sein
Herz ausschütten wollte.

Endlich war es
ausgestanden. Wir
gingen wieder raus.
Der Uhu war nicht
mehr da.

Zum Kotzen, diese
einsamen Herzen.

So einen Uhu sehe ich
vielleicht nie wieder.

DREI SCHWARZE

Nach dem vierten Rennen
stehe ich an einem Tisch
und tüftle meine nächste
Wette aus.
Ich sehe sie kommen, den
Gang runter; der größte von
den dreien streift mich,
rempelt mich ein bißchen
mit dem Ellbogen.
Nach ein paar Metern
dreht er sich um und
schaut zurück; will sehen
wie ich reagiere.
Sein Gesicht ist
ausdruckslos.
Meines auch.
Er geht weiter.

Etwas an mir hat ihn
gestört – die weiße
Haut.

Bruder, damit mußt du
dich abfinden.

Hast du ein Auto?
Welche Farbe?

Na bitte. Das
hat auch keiner
gefragt.

PASST

Alter Kerl, klein, vielleicht
67, schlohweißes Haar (das ist
noch das beste an ihm), in der
Hand einen Styropor-Becher
voll Kaffee, schlurft zu seinem
Sitz. Die Landsleute links und
rechts kennen ihn. »Was mir
an euch Burschen gefällt«, sagt
er, »ist euer Sinn für Humor.«
»Klappe, Eddie«, sagt einer.
Er setzt sich zu ihnen.
»Braucht hier einer ne Frau?«
»Deine bestimmt nicht, Eddie.«
Noch 15 Minuten bis zum
ersten Rennen. Schweigend
beugen sie sich über ihr
Rennprogramm.
Von meinem Platz aus
sehe ich nur ihre
Nacken, ihre alten
Mäntel.
Ich weiß nicht warum
aber sie kommen mir vor
wie Vögel auf einem
Draht.
Sie sind fünf Tage
die Woche da.
God Bless America.
Ich stehe auf, und

auf dem Weg zum Klo
denke ich: Mein Alter wäre
bestimmt entgeistert, wenn
er mich heute sehen könnte:
Gestandener als ein
Metzger, abgeklärter als
ein Satz Spielkarten,
unerreichbar für die
mürrische salzige Sonne.
Yeah.

DER ALTE KNACKER IN DER PIANO-BAR

Er weiß nicht, wie schlecht er
ist. Wahrscheinlich ist er mit
dem Besitzer verwandt.

Er sitzt am Klavier und klimpert
auf die abgestandenste Art
Sachen von Jerome Kern, Scott
Joplin und Gershwin.

Niemand klatscht, niemand
wünscht sich was. Alle
kauen oder unterhalten sich.

Mir tut er nicht leid.
Er hat ja auch mit mir
kein Mitleid.

Zu seinem Job gehört
die Gäste zu begrüßen
die reinkommen, und ihnen
gute Nacht zu wünschen
wenn sie gehen. Während
er unverdrossen klimpert.

Doch manchmal, wenn ich
an meinem Tisch sitze, habe ich
einen Wachtraum. Ich sehe es
richtig vor mir:
Ein Fremder in einem schwarzen
Mantel, den Borsalino-Hut tief
in die Stirn gezogen, greift
in die Tasche, holt einen
45er Colt raus und gibt
vier Schüsse ab.
Zwei ins Klavier, zwei
in den Spieler.
Dann ist es wieder
still.
Der Mann steht langsam
auf und geht.
Die Gäste reden, lachen
trinken und kauen weiter.
Der Kellner kommt an
meinen Tisch und fragt:
»Mit allem zufrieden, Sir?«
Und ich sage: »Alles
bestens.«

»Danke, Sir«, sagt er
und trollt sich.
Während draußen in der
Nacht eine jaulende
Sirene näher und
näher kommt.

DAS MODERNE LEBEN

Wieder ist ein Gedicht im
Computer verschwunden.
Ich glaube nicht, daß es
was Unsterbliches war.
So wenig wie der Tag und
der Abend.
Nicht, wenn du nur noch
weißt, daß das Pferd Nr. 4
beim Start den Jockey in
Gelb abgeworfen hat
während der Mann vor dir
wie ein Straßenköter
einen Hotdog mampfte
und der Aktienindex
runterging und
van Gogh
rauf.

NÄCHSTE LEERUNG

Ein Schizophrener
aus Texas schreibt
mir von seinen
Problemen:
Er hört Stimmen
ist verrückt nach
Beckett, und sein
Psychiater läßt ihn
zu lange im Warte-
zimmer hocken.

Er liegt seiner
Mutter auf der
Tasche und
interessiert sich
für die Softball-
Frauenliga.

Außerdem hat er
kürzlich den
zweiten Preis in
einem Chili-
Kochwettbewerb
gewonnen.

»Sie sollten mal
nach Austin kommen«
schreibt er. »Würde
Ihnen gefallen...«

Ich stecke seinen
Brief zu den anderen
Zuschriften von
Schizophrenen.

In Austin war
ich schon.

TATTERGREISE

Ich sehe diese Tattergreise
auf der Rennbahn, sie sind
krumm, gehn am Stock, ihre
Hände zittern. Ich fahre
auf der Rolltreppe mit ihnen
rauf. Wir reden kein Wort.
Ich bin älter als die
meisten von ihnen und
frage mich, warum bei ihnen
schon das Licht aus ist.
Oder hoffen sie noch immer
auf den Pulitzerpreis, oder
daß sie nochmal die Hände
an jungfräuliche Titten
kriegen?
Warum bringen sie's nicht
einfach zu Ende und
verrecken?
Verdammt, ich bin jederzeit
dazu bereit, ich nehme sogar
zwei oder drei von ihnen
mit, ein halbes Dutzend, ein
ganzes. Runzlige bleiche
Haut, schlecht sitzende
Gebisse – sollen sie doch
brettsteif werden und
Platz machen für frische
saubere Blitzstarter.
Wozu noch rumhängen?

Für das letzte Kapitel
mit der Bettpfanne? Für
die Krankenschwester mit
dem Fernseh-Hirn, die
Hälfte ihres Gesamt-
gewichts verteilt auf
Schenkel und Arsch?

Warum die Alten ehren?
Ist doch nur die Sturheit
der Gene, ein Trick
um eine Leere noch länger
gähnen zu lassen.
Die meisten haben sowieso
nur feige und unterwürfig
gelebt.
Warum nicht die Jungen
ehren? Denen ihr Leben
ist erst ein bißchen
angefault.
Warum überhaupt jemanden
ehren. Aber wenn's schon
sein muß: Die Alten
bitte nicht.

Den nächsten Krieg sollten
die Alten unter sich
ausfechten, während die
Jungen trinken und träumen
und lachen.

Diese alten Wichser mit
ihren 2-Dollar-Wetten.
Es ist, als wären sie
längst tot und würden
sich im Grab umdrehen
um eine bequemere Lage
zu finden.

COOLES PELZTIER

Craney ist einer unserer
dicksten Kater. Wenn er
schlafen will – so gut wie
jeder Platz ist ihm recht –
fläzt er sich immer auf
den Rücken und streckt
alle Viere in die Luft.

Er weiß, wir werden
nie auf ihn treten.

Aber er weiß nicht
wie schlecht und
nervös wir Menschen
schlafen. Und
leben.

DAS NENNST DU ALT?

Im August werde ich 73.
Beinahe Zeit, meine Sachen
zu packen für den Abflug
in die Finsternis.
Doch zwei Dinge halten
mich davon ab.

Erstens, daß ich noch nicht
genug Gedichte beisammen
habe. Und zweitens
der Alte im Haus nebenan.

Er ist 96.

Wenn er meine Frau sieht
klopft er mit seinem
Spazierstock von innen
an die Fensterscheibe und
wirft ihr eine Kußhand zu.
Er ist hellwach; gut
zu Fuß; hält sich
kerzengerade.
Gut, er sieht zuviel
fern – aber tun wir
das nicht alle?

Ich besuche ihn
ab und zu. Er redet
gern. Seine Geschichten
sind gar nicht schlecht.
Er neigt dazu, sich zu
wiederholen, aber auch
beim zweiten Mal ist es
fast noch lohnend.

Einmal war ich bei ihm
da sagte er: »Ich werde
bald aus den Latschen
kippen...«

»Ach, ich weiß nicht«
sagte ich.

»Doch. Sagen Sie, hätten
Sie gern mein Haus?«

»Hm. Klar. Ist ein
schönes Haus.«

»Ich weiß nicht, ob Sie
mir geben können, was
ich dafür will...«

»Ich auch nicht. Schlagen
Sie mal was vor.«

»Ich geb es Ihnen für
ein neues Paar Eier.«

Wenn der mal stirbt
wird er eine enorme
Lücke hinterlassen.
Die wird schwer zu
füllen sein.
Wenn du verstehst
was ich meine.

DAS UNGEHEUER

Wir trafen uns mit
Paul und Tina in
einem Lokal am
Hafen.

Nach dem Essen
schlug ich vor
bei uns noch was
zu trinken.

Sie fuhren uns
in ihrem Mercedes
nach.

Beim Trinken
kamen wir auf
Politik und
Religion zu
sprechen.
Ich sah Paul an
und stellte fest
daß er ein Gesicht
aus Pappe hatte,
mit Murmeln als
Augen.

Dann sah ich
mich, im Spiegel
auf dem Kaminsims:
Ich hatte den
Schädel eines
Alligators.

Ich goß die
Gläser wieder
voll.

Die Unterhaltung
verlagerte sich auf
das Leben nach dem
Tod, Abtreibung, die
Russen.

Dann erzählte jemand
einen ausländerfeindlichen
Witz, und der Abend
war gelaufen.

Wir brachten die beiden
zur Tür. Sie stiegen
in ihren Mercedes
und fuhren rückwärts
die Einfahrt runter.

Wir winkten.
Sie tippten kurz
das Fernlicht an.
Wir gingen
rein.

»Wer weiß«, sagte
ich, »was die jetzt
von uns halten.«

»Und was halten wir
von ihnen?« fragte
Sarah.

»Gar nichts.«

»Ist es dir nicht
aufgefallen?«

»Was?«

»Manchmal hast du
einen Schädel wie
ein Alligator.«

»Ja, ist mir schon
aufgefallen...«

»Wir haben
überhaupt
keine Freunde«
sagte sie.

JAZZ

Du stellst dir vor
daß es jeden Augenblick
passiert, du kannst es
in den Fingerspitzen
spüren, es kriecht an den
Wänden hoch, während die
Jazz-Combo sich rein-
steigert, von einem Chorus
zum nächsten, wie Brandungs-
wellen, sie jagen einander
hoch und höher, du kannst
trinken, ohne benebelt zu
werden, du rauchst endlose
Zigaretten an deinem
Ecktisch, immer mehr
Energie baut sich auf...
Trinken, Qualmen, Zuhören,
die Stadt da draußen, die
Welt – wenn es eine
Antwort gibt, dann
hier.
Verdammt, du willst
nicht einmal pissen
gehn; klemmst lieber
die Beine zusammen; es
wird passieren, wie in
den zwanziger Jahren
in Kansas City...
Baby, ich geh hier

nicht mehr raus, sie
werden mich vom Stuhl
kratzen müssen... Da!
Jetzt ist es soweit!
Jetzt passiert's...
Endlich...

SAGENHAFT

All right, laß es
regnen, laß es
platschen, aufs Dach
prasseln. Ich hör es
und weiß, daß es alte
und neue Schmerzen
lindert, es erinnert
einen auch immer an
Zeiten, als es regnete
und man kein Dach über
dem Kopf hatte, das
vergißt man nie.

Es wird die ganze Nacht
regnen, und wir werden
schlafen, verhext vom
dunklen Wasser
während das Blut
sich durch unser ge-
schwächtes Leben
pumpt.

Laß sie runter-
regnen, die
himmlische
Brühe.

Ein schlampiger Essay über das Schreiben und das verfluchte Leben

In den Jahren, als ich mich noch für ein Genie hielt und hungerte und keiner was von mir drucken wollte, verbrachte ich so manchen Acht-Stunden-Tag in der Stadtbibliothek. Am besten war es, wenn ich einen freien Tisch am Fenster erwischte, wo mir die Sonne ins Genick schien. Da machte es mir auch nicht mehr viel aus, daß die Bücher, die mich von den Regalen anstarrten, todlangweilig waren.

Alles wurde auf einmal ganz erträglich. Ich konnte träumen und dösen und mir einbilden, ich müßte nie mehr an Miete und Essen und Amerika und Verantwortung denken. Ob ich ein Genie war oder nicht, war weniger entscheidend. Ich wollte ganz einfach nicht mitspielen.

Der animalische Drive und die Energieleistungen meiner Mitmenschen gaben mir nichts als Rätsel auf. Ich verstand nicht, wie einer den ganzen Tag Autoreifen wechseln oder einen Speiseeiswagen durch die Gegend schieben oder für den Kongreß kandidieren oder einem anderen – als Arzt oder Mörder – den Bauch aufschlitzen konnte. Das ging mir völlig ab. Ich wollte mich nicht darauf einlassen und will es bis heute nicht.

Jeder Tag, um den ich dieses Leben und dieses System bescheißen konnte, war für mich ein Sieg. Ich soff, ich übernachtete in Parks und dachte ab und zu an Selbstmord, und das verschaffte mir eine gewisse innere Ruhe. Die

Vorstellung, daß der Käfig für mich noch nicht endgültig zu war, gab mir sogar die Courage, noch eine Weile länger im Käfig herumzugammeln.

Verdammt nochmal, hatte nicht mein eigener Vater zur Rechtfertigung seiner Existenz am Ende nur den trivialen Beweis geliefert, daß es möglich ist, ein Leben lang zu schuften, ohne auf einen grünen Zweig zu kommen?

Sein Lohn ging für den täglichen Kleinkram drauf, für Autos und Betten, Radios und Essen und Klamotten, und genau wie die Frauen, mit denen er sich seine Seitensprünge leistete, verlangten auch diese Sachen einen überhöhten Preis und sorgten dafür, daß er arm blieb. Aber selbst sein Sarg war noch ein sturer grotesker Tribut an das, *was sich gehört.* All das schöne Mahagoni, für das er extra gespart hatte: Futter für die Holzwürmer der Hölle.

Andererseits, es konnte einer stinkreich werden, und auch das bedeutete nichts. Nur, sag das mal einem amerikanischen Zeitgenossen.

Na schön, dann lacht mich eben aus. Ihr könnt mir soviel Geld rüberschieben, wie ihr wollt, und ich werde trotzdem dabei bleiben, daß es nichts ist und nichts bedeutet. Wenn die Reichen unsere Herrenrasse sind, will ich hier schnellstens raus.

Dort im Lesesaal der Los Angeles Public Library, in der Sonne, mit knurrendem Magen und dumpf räsonierendem Brummschädel, kam mir alles hoch: Der Scheißkrieg, die Öde, der

Tod, das Summen der Fliegen. Wie sollte man sich damit abfinden? Und warum? Wo blieb da noch Platz für Illusionen?

Hier saß ich, Tag für Tag, umgeben von all den Büchern, die das gesammelte Wissen der Menschheit enthielten und merkwürdig selten ausgeliehen wurden. Die konnten das Rätsel anscheinend auch nicht lösen. Oder doch?

Komm schon, wenigstens hast du vier Wände um dich und keine grüngestrichenen Brückenträger und harten Parkbänke. Warum nicht die Regale durchsehen?

Ich begann mit Philosophie und Religionsgeschichte, und als ich mich zur Gegenwart vorgearbeitet hatte mit ihren dickleibigen Folianten der New York Times, da hatten sich meine Überlebenschancen immer noch nicht gebessert, und die Rasiermesser und Gasherde und Brücken und Thomas Chattertons Rattengift empfahlen sich nach wie vor als naheliegende Lösung.

Tote Affären von toten Leuten mit toten Ansichten. Der alte Schwindel von einem Wissen, das gar nicht wirklich existiert und deshalb mit dem Tarnanstrich einer hochgestochenen Terminologie daherkommen mußte. Eigentlich wurde da doch die meiste Zeit nur von Dingen geredet, die überhaupt nichts zu tun hatten mit *mir*. Und Ego hin oder her – was war schließlich wichtiger als ich? Hier tanzte ich buchstäblich auf dem Schüttelsieb des Todes, und die redeten von Napfkuchen im Schaufenster!

Ein Gebiet allerdings gab es, in das es mich reinzog. Was es an Antworten und Power gab, das schien in der Kunst des Schreibens zu liegen. Roman, Short Story, Gedicht. Die Idee, daß man ein Gedicht hinfetzen und etwas auf den Punkt bringen kann, hatte etwas Verlockendes. Das schien wirklich der kürzeste und knackigste Weg zu sein. Warum einen Roman schreiben, wenn man es in zehn Zeilen sagen kann? Warum zehn Romane schreiben, wenn man zehntausend schreiben kann?

Gut, *Schuld und Sühne* hätte sich nicht in zehn Zeilen sagen lassen. Die ersten drei Viertel dieses Wälzers gehören mit Sicherheit zu dem wenigen Lesefutter, das einen jungen ausgehungerten Irren in der Öde unserer öffentlichen Bibliotheken am Leben hält.

Trotzdem, sagte ich mir, das Gedicht ist der einsame Favorit auf der Zielgerade. Daran führt nichts vorbei. Es wird das Rennen machen.

Natürlich geriet ich auch auf Abwege. Ich stieß zum Beispiel auf die kritischen Abhandlungen in der Kenyon Review und Sewanee Review, und aus irgendeinem Grund kommt einem dieses Zeug ziemlich gut vor, wenn man seit Tagen nichts gegessen hat. Ich nehme an, es lag an dem satten Gefühl, das da verbreitet wurde, an dem frischen Geruch von ungelesenen Seiten, an dieser musikalischen und effizienten Sprache, mit der man einen Dichterkollegen so locker absägen konnte.

Das lenkte ab vom Ernst des Lebens, und die Lektüre dieser gelehrten Literaturzeitschriften verschaffte mir flüchtige Augenblicke des Vergnügens. Aber letzten Endes war es doch nur ein Geplänkel, mit dem sie nichts riskierten. Die kranke Scheiße, die einem auf Schritt und Tritt begegnete, die gezeichneten und verhunzten Gesichter, die fast totale Sinnlosigkeit des Lebens – für diese Leute schien das kein Thema zu sein.

Das ärgert mich, also fing ich selber an zu schreiben. Short Stories. Von Hand, weil ich keine Schreibmaschine hatte. Ich kann mir gut vorstellen, wie mancher Redakteur mitleidig lächelte, ehe er sie in den Papierkorb warf. Und wenn man sie mir zurückschickte, warf *ich* sie weg. Die einzige Ausnahme war Whit Burnett vom alten STORY Magazin, der auf eine eher beiläufige und amüsierte Art interessiert schien und schließlich eine nahm.

Also gut, dann eben doch Gedichte. Geht schneller und bringt auch nichts. Ich dachte daran, während ich mit den Reparaturkolonnen von der Eisenbahn westwärts in Richtung Sacramento fuhr. Ich dachte daran, während ich mir mit Staatsfeind Nr. 1, Courtney Taylor, im Zuchthaus die gleiche Zelle teilte. Und das nächste Mal dachte ich daran, als ich auf der Flucht aus einem zertrümmerten und versoffenen Zimmer einem Filipino mit einer geliehenen Reiseschreibmaschine eins über den Schädel gab.

Aber ihr wißt ja, wie es ist in Amerika. Irgendwann, irgendwo, in der Schule oder danach, bekommt man es hingerieben. Sie sagen dir, kurz und knapp, daß Dichter doch bloß Schwuchteln sind, also vergiß es, Mann.

Am College hatte ich mal aus Verlegenheit einen Kurs in *Creative Writing* belegt. Das *waren* Schwuchteln, Baby. Alberne, affektierte, lapprige Wundertiere. Sie schrieben Gedichte über allerliebste Spinnen und Blumen und Sterne und Familienpicknicks. Verglichen mit diesen Schlaffis waren die Girls im Kurs die reinsten Bierkutscher, aber ihre Schreibe war genauso mies.

Der Dozent hockte im Schneidersitz auf einem gehäkelten Teppich, die Augen glasig vor Dummheit und Apathie, und sie versammelten sich um ihn und himmelten ihn an, die Weiber mit weiten wehenden langen Röcken und die Jünglinge mit ihren verkniffenen kleinen Ärschen, die vom letzten Besuch in der Sauna noch freudig nachzitterten. Sie lasen sich ihre Verse vor und kicherten und nölten rum und tranken Tee und aßen Plätzchen dazu. Ja, lacht ihr nur. Ich kam erst gar nicht dazu. Ich saß alleine an der Wand, hohläugig und verkatert, und kämpfte mit dem Schlaf.

»Bukowski«, fragte eines Tages der Dozent, »warum sagen Sie nie etwas? Was denken Sie?«

»Alles Stuß«, sagte ich. »Seit Monaten höre ich hier nichts als Stuß.«

Und das war das beste Gedicht des ganzen Semesters.

Drei Wochen später, nach einigem Glück mit den Würfeln in der Kneipe an der Ecke, pennte ich am Strand von Miami und arbeitete stundenweise im Ersatzteillager von Di Pinna.

Es ist wie der alte Gag mit dem Wetter: alle reden von Dichtung, und keiner tut was dagegen.

Tradition wird man schwer los, Sweetheart. Wenn du einen Kater hast, nimmst du ein Alka-Seltzer, und wenn du ein Gedicht schreiben willst, liest du dir nochmal deinen Keats oder Shelley durch. Oder W. H. Auden, falls du modern sein willst. Es stinkt wirklich zum Himmel.

Nennt mich einen Quadratschädel, wenn ihr wollt, einen kulturlosen Schluckspecht oder sonstwas. Die Welt, bzw. ein Leben, das ich mir nicht immer aussuchen konnte, hat mich geformt, aber nicht auf Null gebracht – und ich habe geformt, was ich konnte.

Ich habe auf meinen Schultern den blutigen halben Ochsen geschleppt, der vor einer Minute noch lebte, ich bin damit durch den Schmant gewatet und habe ihn an den stumpfen Haken an der Decke des Gefrierfleischtransporters gehängt; ich habe die verdreckten Toiletten im Fleischmann Building betreten mit einem nassen Mop in der Hand, als ihr schon wieder geschlafen habt; ich habe Besoffene gefilzt und bin selber gefilzt worden; ich habe vor einem Wettschalter der Pferderennbahn von Caliente auf den Knien gelegen, und ich habe an einer Pißrinne gestanden und mit dem Totschläger eins auf den

Hinterkopf gekriegt, weil ich mich aus Versehen an eine Gangsterbraut rangeschmissen hatte.

Ich habe eine Frau mit einer Million Dollar geheiratet, die einen steifen Hals hatte und überzeugt war, daß keiner sie will; ich wollte ihr nur das Gegenteil beweisen, und dann habe ich sie wieder verlassen. Ich war Tankwart, habe in einer Hundekuchenfabrik im Akkord gearbeitet, Weihnachtsbäume verkauft und Lastwagen gefahren, und ein Bordell in Texas hat mich als Rausschmeißer angeheuert.

Ich habe ein Jahr auf einer Jacht gelebt, weil ich mir merkte, wie man den Hilfsmotor anwirft und weil die Freundin des alten einarmigen Irren, dem der Kahn gehörte, spitz auf mich war. Der Alte bildete sich ein, er sei ein Genie auf der Hammondorgel, und ich mußte ihm Libretti für seine verdammten Opern schreiben, obwohl ich vor lauter Tequila kaum noch den Griffel halten konnte, und das ging so, bis er starb, aber wozu noch den Rest erzählen.

Das Thema ist Dichtung.

Das Thema ist langweilig, solange diese komische Dichtung nicht aus sich rausgeht und sich am Riemen reißt. Whitman wäre wahrscheinlich noch ein bißchen effizienter gewesen, wenn er nicht so viel Zeit mit dem Abfummeln von jungen Matrosen vertan hätte. Aber das ist nicht der Punkt. Und jetzt sage ich etwas, was ich noch nie gesagt habe, aber ich bin inzwischen benebelt genug, um es über mich zu bringen: Seit Whitman hat uns in der amerikanischen Dichtung keiner mehr so die Augen geöffnet wie Allen Ginsberg. Und dieser *kleine jüdisch-kommunistische Homo*, wie ihn einmal ein rotznäsiger Kritiker genannt hat, schreibt 99,8% von euch angeblichen Schwergewichtlern jederzeit an die Wand.

Der Rest von euch, und wenn es nur einer oder zwei sind – ihr müßt den Unterschied machen. Ich schätze, ich schreibe ganz passables Zeug, wenn auch nicht annähernd gut genug. Ich werde langsam alt, trinke zuviel, rede zuviel, und es wird Zeit, daß endlich ein unwiderstehlicher bärbeißiger Dickschädel durchkommt und die halbstarken Burschen auf dem Schulhof dazu bringt, daß sie die Fäuste runternehmen und ihre Baseballschläger und Schnappmesser weglegen und sich mal was wirklich Starkes anhören – E. E. Cummings in Bronze, draußen vor der Highschool und der Peep Show, wo ein hundertjähriger Ezra Pound, tätowiert mit chinesischen Schriftzeichen, aus dem Exil nach Hause kommt und zum Gouverneur von New Hampshire gewählt wird.

Alles ist möglich. Sogar, daß ich diesen Text zu Ende bringe. Und zwar –

So.

INHALT